Dossier la Guêpe

Du même auteur

Un été outremer
Le Maître des vecteurs
Je hais la comtesse !
Chère Théo
Pourquoi j'ai pas les yeux bleus ?
ACTES SUD JUNIOR

Éditorial :
François Martin

Direction artistique :
Guillaume Berga

© Actes Sud, 2008
978-2-7427-7180-6

ANNE VANTAL

Dossier
la Guêpe

ILLUSTRÉ PAR
VIOLAINE LEROY

ACTES SUD JUNIOR

Pour Sacha et Éloïse.

1

Juju

– C'est donc d'accord, a dit maman. Vous réchauffez le dîner dans le micro-ondes et vous débarrassez la table quand vous avez fini. Julien, à neuf heures tu es couché et tu éteins la lumière. Pauline, tu as droit à une demi-heure supplémentaire. Et surtout, promettez-moi de ne pas vous disputer ! Je vous fais confiance. Pauline, tu m'écoutes ?

Pauline fait entendre un petit grognement : elle écoute.

Maman se tourne vers moi.

– Julien, je compte sur toi aussi. C'est compris ?

Maman a tendance à me prendre pour un débile profond. Je réponds que j'ai compris. Nous sortons de la cuisine.

Ce soir, papa et maman passent une soirée à deux. Ce n'est pas la première fois, ça leur arrive de temps en temps. Avant, quand ils s'absentaient, ils appelaient Aurélie, la fille des voisins, celle qui a dix-huit ans, et elle nous tenait compagnie jusqu'à leur retour. Maintenant, c'est fini. Ils disent que nous sommes assez grands pour rester tout seuls. C'est vrai que Pauline a eu treize ans en janvier, et que j'en aurai bientôt dix. Mais moi, j'ai peur.

Bien sûr, je pourrais être terrorisé pour plein de raisons. Nous ne sommes que des enfants, après tout. Il fait nuit, la maison est grande, des voleurs pourraient entrer, par exemple par le garage, et venir cambrioler.

Ils pourraient même nous massacrer, Pauline et moi, en nous découvrant dans nos chambres. Ou bien un fou furieux, ou un échappé de prison, ou un Martien tout juste débarqué de sa soucoupe pourrait nous prendre en otages.

En réalité, ce n'est pas du tout ça qui me fait peur. Ce que je crains le plus, c'est de rester avec Pauline. Ma sœur.

On pourrait croire que maman m'a entendu penser car la voilà qui recommence :

– J'insiste : je ne veux pas de disputes !

Qu'est-ce que je vous disais ? Nous sommes peut-être stupides, mais je crois plutôt qu'elle vieillit : elle se répète dangereusement. Je bredouille quelque chose de vague, tandis que Pauline fait entendre un marmonnement indistinct.

Maman, provisoirement tranquillisée, se plante devant la glace pour vérifier son apparence. Ce soir, c'est le grand jeu : théâtre d'abord, dîner ensuite. C'est son anniversaire, et papa a décidé de bien faire les choses. Elle a trente-neuf ans demain, maman. Qu'est-ce qu'il va inventer l'année prochaine, quand elle en aura quarante ? Enfin, il a un an pour y penser.

Dans un instant, papa va descendre l'escalier et lui dire :

– Tu es prête ?

Ce serait tout de même un comble qu'elle ne le soit pas, avec le temps qu'elle a passé dans la salle de bains ! Moi, en un mois, je n'en passe pas autant. Mais quand elle est sortie, ah, là, là ! C'est bien simple : on aurait dit une star au festival de Cannes (enfin, presque).

Voilà papa qui descend l'escalier quatre à quatre, parce qu'il ne veut pas être en retard. Arrivé à l'avant-dernière marche, il demande machinalement « Tu es prête ? » et s'arrête net sans attendre la réponse.

– Superbe, cette robe. C'est nouveau ?

Aïe ! L'erreur. Car je me souviens, moi, que maman a déjà porté la robe pour l'anniversaire de ma grand-mère. C'est seulement que papa n'a aucune mémoire pour ce genre de choses. Heureusement, maman a décidé de ne pas y faire attention.

– Pas la robe, non. Ce sont les chaussures qui sont neuves.

– Ah oui, je me disais bien…

Bien rattrapé.

Du coup, tout le monde regarde les chaussures, qui sont rouges. Ça fait deux taches vives sur le parquet de l'entrée. Très joli. Papa aussi doit bien aimer, parce qu'il reprend :

– On dirait deux coquelicots dans un champ de blé.

Il est poète, maintenant ?

Enfin, maman comprend qu'il s'agit d'un compliment, c'est l'essentiel. Elle met son manteau, dépose un baiser sur la joue de Pauline et me passe la main dans les cheveux pour les ébouriffer.

– Bonne soirée, dit-elle sans rire. Et sutout…

– Mais oui, on sait : pas de disputes !

Il est dix-neuf heures trente. Dès que la porte est refermée, Pauline se tourne vers moi :

– Fais ce que tu veux, moi je monte. J'ai du travail.

Là-dessus, elle se dirige vers l'escalier et j'entends claquer la porte de sa chambre.

Une fois la surprise passée, je décide de profiter de ma soirée. Puisque Pauline, ma chère sœur, ne veut rien avoir à faire avec moi, autant se distraire. J'installe un jeu sur la console et je commence un match de foot. Mais quand même, je n'en reviens pas : Pauline m'a carrément laissé tomber.

Je viens de tirer un penalty particulièrement risqué quand j'entends un appel venu du premier étage qui me fait presque lâcher ma manette.

– Juju !

Je déteste qu'on m'appelle comme ça. Mon nom, c'est Julien.

Je laisse l'appel sans réponse.

Voilà que ça recommence, mais cette fois sous la forme d'un barrissement impressionnant :

– Juju !

Si elle continue, je l'appelle Paupau, c'est juré.

Je me souviens juste à temps de la promesse faite à maman et je consens à quitter mon fauteuil pour me rendre au pied de l'escalier. Pauline apparaît sur le palier, et je remarque qu'elle s'est encore changée. C'est devenu une manie, chez elle, de changer de vêtements plusieurs fois par jour.

– Julien, tu peux dîner si tu veux. Moi, je ne mange pas. De toute façon, tu n'as pas besoin de moi pour passer ton assiette au micro-ondes.

Comment ça, elle ne mange pas ? Elle fait un nouveau régime ? Je suis tellement effaré que je ne trouve rien à répondre. Profitant de mon silence, elle ajoute :

– Et n'oublie pas de te coucher à neuf heures, hein ? Salut !

Elle se détourne avec une démarche de reine. Je pousse un soupir de soulagement : je n'ai rien à craindre ce soir.

2

La Guêpe

Mon estomac s'est mis à gargouiller. M'être fait lâcher par ma sœur ne m'a pas coupé l'appétit. J'ai fait comme maman avait dit, cinq minutes dans le micro-ondes, et j'ai mangé tout seul sur la table de la cuisine.

Je jette un coup d'œil aux chiffres qui défilent sur l'écran au-dessus de la porte du four. Il me reste une bonne demi-heure. J'ai terminé mes devoirs, j'ai pris ma douche (un peu vite, d'accord), et je n'ai plus envie de jouer en solitaire. Je n'ai même pas de téléphone

portable pour appeler mes potes, maman trouve que je suis encore trop jeune. Alors, faute de mieux, je décide de réfléchir.

Et naturellement, comme ça arrive trop souvent ces temps-ci, mes pensées se tournent vers ma sœur.

La vérité, c'est que Pauline n'est plus vraiment Pauline. Ça a commencé l'an dernier, juste au retour des grandes vacances. Avant, on était petits tous les deux, bien qu'elle ait toujours eu trois ans de plus que moi. On jouait tout le temps ensemble : à cache-cache dans le jardin, ou au Monopoly les jours de pluie, ou parfois on s'inventait des rôles de théâtre, on se déguisait et on se parlait comme si on avait été le roi et sa princesse, et c'était bien. Quand j'y pense, on a passé plein de journées et de soirées ensemble, et on a ri comme des fous.

J'essaie de me rappeler comment elle était autrefois, ma grande sœur. Toujours à me cajoler, à me consoler, à me protéger. Quand maman me grondait, elle se mettait entre nous pour me défendre. Quand je pleurais, elle m'entourait avec ses petits bras et me chuchotait : « Mon Juju, mon Juju » avec tellement de douceur que je m'entraînais à pleurer davantage pour faire durer le plaisir.

À cette époque, ça ne me dérangeait pas qu'elle m'appelle Juju. C'était même tout le contraire. Une fois, je m'en souviens, j'avais le visage tout mouillé de larmes et Pauline s'est mise à les lécher. Ce jour-là, franchement, j'ai trouvé que c'était trop.

Mais à l'automne dernier, tout ça a cessé brusquement. Pauline s'est mise à changer à une vitesse incroyable. Non seulement elle est presque aussi grande que maman, avec des seins et tout, mais en plus elle ne s'occupe plus jamais de moi, sauf quand on se dispute. Elle est devenue crâneuse, elle me traite comme un moins que rien. Chaque fois que j'essaie de proposer quelque chose, elle me regarde avec mépris et déclare : « Pas le temps, j'ai du travail. »

Moi, j'espère que je n'irai jamais au collège : on y travaille beaucoup trop.

En plus, Pauline ne s'intéresse à personne, sauf à elle. Elle passe des heures devant la glace à essayer de se lisser les cheveux, parce qu'elle n'aime plus ses boucles, ou à tenter de s'apercevoir de dos en prenant des postures compliquées. Elle marche en serrant les fesses, elle se maquille en cachette (je le sais, je l'ai surprise par hasard) avec les produits de beauté qu'elle pique à maman, et elle porte ses jeans le plus bas possible sur les hanches pour montrer son nombril. Quand papa s'est fâché l'autre jour, elle lui a lancé un regard plein de mépris, mais elle n'a rien dit ; quand c'est maman qui se fâche, elle répond. Et quand elle n'est pas « insolente » (c'est le mot préféré de papa), Pauline parle une langue nouvelle et presque incompréhensible, avec des mots à l'envers et d'autres que je n'ai jamais entendus. Ou encore elle garde le silence pendant des jours entiers, en se contentant de grogner.

Moi, j'en peux plus. J'aimerais bien qu'on me rende Pauline.

Je dis ça, mais je sais bien que c'est impossible. Pauline a changé, et c'est définitif. D'ailleurs, tout le monde le dit : « Comme elle a grandi ! » s'exclament les amis de papa et les copines de maman, et les voisins, et la boulangère qui nous vend les bonbons et les

chewing-gums. C'est la vérité, mais je ne pense pas vraiment que Pauline se soit améliorée en grandissant. Elle est même devenue carrément mauvaise. Elle m'en veut, ou bien elle me cherche. Toujours à m'ignorer ou à me lancer des piques. Elle passe son temps à me dénigrer : je suis trop bête, trop petit, trop gâté, trop débile. Je suis trop.

Non, madame la boulangère, Pauline n'est pas devenue « une vraie demoiselle ». Elle me rappelle plutôt ces insectes qui, les soirs d'orage, n'arrêtent pas de tourner autour des gens ; on les chasse, ils reviennent, toujours plus hargneux et agressifs. Comme Pauline. C'est pour cette raison qu'en moi-même, j'ai surnommé ma sœur : « la Guêpe ».

Je sais, ça n'est pas très gentil. Mais c'est bien trouvé, non ?

3

Tim

Tous les matins, sur le chemin de l'école, je retrouve Tim. Timothée. Mon meilleur copain, mon presque frère depuis le CP. Il habite un peu plus loin, de l'autre côté du boulevard ; il passe me prendre au coin de ma rue et on finit le trajet ensemble.

Ce que j'aime avec Tim, c'est que nous avons toujours quelque chose à nous raconter. Souvent, c'est vrai, on se contente des résultats de foot. Parfois, on parle sérieusement. Par exemple de politique, en comparant les avis de nos parents ; ou de l'école, ou de nos potes, ou des deux frères de Tim. Ou de ma sœur.

Car Pauline, avec son humeur de rottweiler, réussit à s'inviter régulièrement dans nos conversations. En général, je le reconnais, c'est de ma faute. Je ne peux pas m'empêcher de parler d'elle, parce qu'elle prend tellement de place dans ma tête.

Ce matin, c'est différent. Il fait beau, une vraie journée de printemps, et je rêve de courir jusqu'à l'école pour avoir le temps de faire quelques passes avant d'entrer en classe. Mais Tim refuse de se presser. Il s'éternise. Je sens qu'il aimerait me dire un truc, mais il n'ose pas. Ça m'inquiète, ça. Il est peut-être malade ?

Tim traîne les pieds en silence, en me jetant de petits regards furtifs de temps à autre. Et puis ça sort, d'un coup, comme ça, au moment où on passe devant le garage du père d'Adrien.

– J'ai vu ta sœur hier.

C'est tout. J'attends. Rien ne vient. Alors je l'aide :

– Où ?

– Rue des Cerisiers.

Ah, bon, voilà qui ressemble davantage à une révélation : la rue des Cerisiers se trouve de l'autre côté de la rivière, là où je ne mets pratiquement jamais les pieds. Pauline non plus, à ma connaissance. Mais qu'est-ce que je sais de la vie de Pauline depuis qu'elle fréquente le collège ? Je prends un air intéressé, sans plus. Je détourne le problème :

– Qu'est-ce que tu faisais là-bas ?

– Mon frère avait une compet' de judo, je suis allé le voir au gymnase avec maman. C'est là que j'ai aperçu Pauline.

– Au gymnase ?

Là, j'ai du mal à cacher ma surprise : ma sœur n'a jamais été fan de judo. Elle n'aime même pas tellement le sport.

– Juste devant l'entrée. Elle avait l'air d'en sortir.

Impossible. Je ne comprends vraiment pas.

– Il était quelle heure ?

– Six heures, six heures et demie… Je n'ai pas pensé à regarder ma montre.

Je le sens déçu. Il n'a pas eu la présence d'esprit de noter tous les détails, et je vois bien qu'il s'en veut. Lui qui rêve tout le temps de passer pour un vrai détective, pour ressembler à son père qui est inspecteur de police !

Timothée et moi sommes arrivés devant l'école avant que je n'aie pu imaginer le début d'une explication. Mais je suis certain qu'en réfléchissant un peu, on finira par la trouver.

– Tu sais, à propos de Pauline…

Tim a remis ça à la récréation. Honnêtement, là, je l'ai trouvé un peu lourd. Parce que moi, j'avais presque oublié cette affaire. J'ai compris, à la seconde suivante, que Tim ne m'avait pas tout dit. Il s'est dandiné d'un pied sur l'autre à deux ou trois reprises avant de lâcher :

– Je pense que Pauline n'était pas seule. Au gymnase.

Il s'interrompt de nouveau. Décidément, il a du mal à trouver ses mots. Je me creuse la tête.

– Charlotte était avec elle ?

Charlotte, c'est la nouvelle copine de collège de Pauline. On la trouve le plus souvent à papillonner autour de la Guêpe.

– Non. Mais ta sœur discutait avec quelqu'un.

Bon, je refuse de me torturer et je donne ma langue au chat.

– Qui alors ?

– Le cousin de Maxime. Mais si, tu connais… Tu l'as croisé l'année dernière chez Maxime. Un grand qui est déjà au lycée… En tous cas, je l'ai bien reconnu. Pauline

discutait avec lui sur le trottoir. Je préférais te prévenir.

Je n'aurais pas éprouvé un choc moins grand en mettant le pied sur une bombe. Je me suis senti sursauter. Pendant une seconde, j'ai même failli me fâcher. Tim me mentait. Mais non, il est mon ami, il ne raconte pas n'importe quel ragot à propos de ma sœur ! Il avait dû se tromper.

Je dois avouer une chose : je n'ai rien trouvé à lui répondre. Pauline en grande conversation avec un lycéen ? Au gymnase de la rue des Cerisiers ? Non, tout ça devait être une erreur.

Tim semblait un peu gêné. Pour lui montrer que je ne lui faisais aucun reproche, je lui ai serré la main, comme fait mon père quand il dit merci, merci beaucoup. Et puis j'ai foncé sur le ballon qui passait à ma portée, histoire de me défouler un peu.

Les mystères pouvaient attendre.

4

Détectives !

Le soir même, Tim s'est arrêté chez moi en rentrant de l'école. Il n'était pas pressé, il n'y a pas d'entraînement le mardi. C'est à ce moment-là qu'il m'a parlé de son idée.

– Écoute, pour Pauline…

– Quoi encore ?

– Rien, rien, ne t'inquiète pas… Peut-être qu'on pourrait essayer d'en savoir plus, non ?

Effectivement, on pouvait essayer. Ça ne me déplaisait pas. Sauf que je ne voyais pas bien comment m'y prendre. Tim, heureusement, avait déjà réfléchi à tout ça. Nous allions enquêter en duo ; à ce qu'il paraît, ça se passe comme ça dans la police : on travaille en équipe.

Je reconnais que l'idée m'a flatté. J'ai tout de suite dit oui. Enquêter, d'accord, mais par où commencer ?

– Tu vas suivre une formation de base, c'est impératif, a déclaré Tim d'un ton docte. Une leçon de deux heures, ça devrait suffire.

J'ai ouvert des yeux ronds.

– Ça existe, des leçons pour devenir détective ?

Tim m'a fait un sourire malin.

– Et qui m'empêche de te servir de professeur ? Tu crois que je n'ai rien appris depuis le temps que j'interroge mon père ?

Tim a donc juré de m'apprendre les rudiments du métier. C'est ainsi que nous nous sommes donné rendez-vous le lendemain, après la fin de l'entraînement de foot.

À trois heures et demie, le mercredi, Tim a sonné. Chez moi, c'est plus pratique, parce que nous sommes sûrs d'être tranquilles. Personne ne vient nous déranger : Pauline travaille chez Charlotte et mes parents sont coincés au bureau jusqu'à six heures et demie, au moins. Aucun risque de les voir arriver à la maison au beau milieu de la journée. Tandis que le père de Tim peut décider de passer chez lui à n'importe quel moment, il lui suffit de s'arrêter quelques instants quand il patrouille dans le quartier. Et sa mère, qui est infirmière, a des horaires de fou qui changent toutes les semaines.

Nous nous sommes donc installés dans ma chambre. Tim s'est assis sur le lit, et moi par terre, jambes croisées : on a trouvé que c'était mieux comme ça. Après tout, aujourd'hui, c'est lui le professeur.

– Il faut d'abord baptiser notre opération, a déclaré Tim. C'est l'usage lors d'une enquête.

– Ah bon ?

Moi, j'étais en panne d'imagination. Tim, lui, réfléchissait tout haut :

– Chaque affaire est désignée par une sorte de nom de code. Qu'est-ce que tu penses de « Gymnase » ?

– Oui, bof… Pourquoi pas « Cerisiers » ? Ce serait plus joli, non ?

– Ou « Opération Pauline » ? Non, c'est idiot. Et puis si on nous entend, on saura tout de suite que nous manigançons quelque chose à propos de ta sœur.

C'est à ce moment-là que j'ai pris la décision. Tant pis si ça m'obligeait à dévoiler un petit secret.

– Je crois que j'ai une idée. J'ai trouvé un surnom à ma sœur. Pas très sympa, je le reconnais...

– Quoi alors ?

J'ai pris une grande inspiration.

– La Guêpe.

Il y a eu un petit silence, et puis Tim a repris :

– C'est un très bon titre pour une affaire... Décision prise à l'unanimité. Le dossier prend donc le nom officiel de « La Guêpe ».

J'étais assez content de moi. Je n'avais pas gâché la première étape de ma formation. Mon chef m'appréciait, il avait approuvé mes propositions. D'ailleurs, Timothée avait décidé de m'impressionner. Il a sorti de la poche de son jean un petit carnet à spirale qui ressemble à s'y méprendre à celui que nous a fait acheter la maîtresse en début d'année. Tim a également tiré d'une autre poche deux crayons à papier remarquablement taillés. Il m'en a tendu un.

– Trouve-toi de quoi écrire, m'a-t-il ordonné.

Comme mon carnet de vocabulaire dort dans le tiroir de mon bureau depuis deux bons mois, j'ai décidé de m'en servir.

– Parfait. Maintenant, tu notes. Je vais t'expliquer les différentes méthodes.

Crayon en l'air, j'ai écouté, et puis j'ai commencé à noter. C'est fou le nombre de choses que Tim connaît grâce au métier de son père. Un vrai pro de l'enquête. À partir de ce moment-là, Pauline est devenue la Guêpe, ou encore le suspect princi-pal. (J'ai supposé que le cousin de Maxime pou-vait être considéré comme un suspect secondaire.) Si nous devons nous cacher pour surveiller la Guêpe, nous appellerons ça « être en planque ». Si nous suivons notre suspect dans la rue, ce sera une « filature ». Et chaque soir, nous devrons noter dans notre carnet tout ce que nous aurons découvert. Un jour sur deux, au moins, nous organise-rons un « briefing », c'est-à-dire une réunion pour faire le point.

Quand il a eu terminé ses explications, Timothée s'est assis près de moi.

– On pourrait commencer tout de suite, non ? Ne perdons pas de vue notre objectif : il s'agit de découvrir ce que faisait la Guêpe lundi soir rue des Cerisiers. T'as une idée ?

– Aucune. D'ailleurs, tu es sûr que c'était Pauline ?

Tim m'a jeté un regard noir.

– Tu me crois mauvais témoin ?

Bien sûr que non. Tim a vu ce qu'il a vu : il connaît ma sœur depuis toujours.

– Reprenons tout depuis le début. Entre six heures et six heures et demie, lundi, la Guêpe se trouve rue des Cerisiers, où je la croise par hasard. Mais toi, son propre frère, tu ignores tout des raisons de sa présence là-bas. Première conclusion : la Guêpe ne s'est pas vantée en famille d'avoir été se promener à l'autre bout de la ville. Qu'est-ce qu'elle avait, comme alibi ?

Un alibi... Je n'en sais rien, moi ! Comment la Guêpe a-t-elle pu s'absenter si longtemps sans que personne ne s'en rende compte ? Je me concentre. Je fronce les sourcils pour réfléchir. Lundi, j'étais à la maison. Vers six heures et quart, mon grand-père a téléphoné. J'ai laissé sonner le téléphone plusieurs fois et j'ai fini par me lever pour répondre, en pensant que la Guêpe était bien trop occupée ou paresseuse pour le faire. Mais je n'ai pas vérifié. Au fond, j'étais peut-être tout seul dans la maison. Et Pauline, alors ?

Où était donc Pauline ? Rue des Cerisiers, évidemment ! J'ouvre mon carnet et j'écris quelques lignes.

Le dossier « La Guêpe » est ouvert.

Quarante minutes plus tard, j'ai la tête farcie d'expressions nouvelles, mais je me sens surtout surexcité. Je m'imagine déjà en planque pendant des heures à attendre que la Guêpe sorte de sa cache ; je pourrai ensuite la filer jusqu'au gymnase où, peut-être, de nouveaux suspects feront leur apparition. Tim et moi allons laisser libre cours à nos talents de détectives. En moins d'une semaine, nous allons découvrir pourquoi Pauline, qui n'a jamais aimé le sport, s'est rendue lundi peu après six heures au gymnase de la rue des Cerisiers.

5

Perquisition

Il y en a qui attendent le week-end avec impatience. Pas moi. Dès samedi midi, je ne rêvais que d'une chose : retourner en classe pour avoir la paix. Il faut dire qu'il a plu toute la matinée et que Pauline a piqué sa première crise dès l'heure du déjeuner, à son retour du collège, quand elle a constaté que son petit haut bleu n'était pas sec. Elle s'en est prise à maman, comme si c'était sa faute si la lessive ne sèche pas avec un temps pareil. Papa est intervenu aussitôt. Après,

tout le monde était fatigué et de mauvaise humeur.

Maman, je le vois bien, devient vraiment triste ; elle ne rit plus autant qu'avant, et elle me câline moins. Il n'y en a plus que pour la Guêpe, parce qu'elle lui donne du souci. Si c'est la solution pour avoir un bisou, je vais m'y mettre aussi, promis.

Heureusement, Tim est passé en fin de journée, juste avant le dîner. Il s'est excusé bien poliment auprès de maman, en lui expliquant qu'il lui manquait un des exercices pour lundi, et nous sommes montés dans ma chambre. Dès que j'ai eu fermé la porte, il m'a paru tout énervé.

– Non, inutile de sortir le cahier de maths, j'ai fait l'exercice. C'était juste un prétexte ! Écoute un peu, j'ai eu une idée. Si on veut faire avancer l'enquête, il faudrait perquisitionner chez la Guêpe.

Oh là, là, il connaît de ces mots, Tim !

Prudent, je demande :

– C'est-à-dire ?

– Eh bien, tu connais l'emploi du temps de ta sœur et tu habites sur place. Donc, ton travail consiste à monter une opération de perquisition. Une perquis', quoi, comme dit mon père ! Quand la Guêpe sera absente, ou occupée, tu iras dans sa chambre et tu essaieras de trouver des indices. N'importe quoi qui peut nous aider à en savoir plus sur ses activités louches.

Je suppose que c'est faisable. Je vais quand même prendre le temps de réfléchir avant de me lancer dans ma perquis'. Parce que si la Guêpe me surprend, c'est bien simple, je suis mort.

– Ce qui serait bien, ce serait que tu puisses réunir quelques indices avant le début de la semaine…

Nous sommes déjà samedi soir, mieux vaut ne rien promettre. Mon instinct me répète qu'il faut rester prudent. Mais Tim n'en finit plus de faire travailler ses méninges. On dirait que cette affaire lui a accéléré le cerveau. Lui qui est toujours à la traîne pendant les exercices en classe, là, il se concentre à fond.

– J'ai encore une idée !

S'il continue à ce rythme, son crâne risque la surchauffe.

– Et si on embauchait Hugo dans l'équipe ?

L'idée me paraît excellente, quoique difficilement praticable.

– Mais il n'est pas du tout entraîné à ça !

– On le dressera !

Pourquoi pas, en effet ? C'est un très joli bâtard intelligent et gentil comme pas deux. J'ignore si ce sont les qualités essentielles pour un chien policier.

Moi aussi j'ai pensé à quelque chose.

– Peut-être qu'Hugo pourrait nous aider dans nos filatures, non ? Imagine qu'on ait perdu la Guêpe alors que nous la suivions dans la rue. Est-ce qu'Hugo saurait la retrouver grâce à son flair ?

– C'est sûr ! Hugo est une moitié de chien de chasse, quand même !

Immédiatement, je fais surgir l'image d'Hugo dans ma tête : c'est vrai qu'il a quelque chose de l'épagneul et du setter, avec un peu de colley peut-être, ou même de golden retriever. Reste à savoir s'il a placé sa moitié de chien de chasse dans sa truffe.

Tim s'anime de plus belle :

– Ce qu'il nous faudrait, c'est, je ne sais pas, un vêtement porté par la Guêpe qu'on ferait renifler à Hugo… Quelque chose d'un peu sale qui sentirait l'odeur de la Guêpe, quoi !

Étant donné que la Guêpe se change environ cinq fois par jour, il ne devrait pas être trop difficile de dénicher un vêtement défraîchi. Taché, peut-être, froissé, sûrement, mais sale, non : Pauline n'a plus le temps de salir ses habits.

Juste à ce moment-là, maman a passé une tête dans la chambre pour prévenir Tim qu'on l'attendait chez lui. On s'est dit au revoir à regret, et j'ai juré d'ouvrir l'œil pour ne pas rater l'occasion.

Le dimanche se traîne. Pauline est fidèle à ses habitudes : enfermée dans sa chambre pour travailler ou téléphoner. Pas question, jusqu'à présent, de projeter une perquisition.

– Juju !

Aïe. La Guêpe hurle mon nom à travers le palier. À en juger par le ton qu'elle a pris, mieux vaut ne pas trop tarder. Je sors de ma chambre.

– Oui ?

J'essaie de paraître doux comme un agneau. Inutile de provoquer la Guêpe au moment précis où elle pourrait sortir son aiguillon.

– Amène-toi !

C'est parti. Elle va m'aboyer un ordre. Je m'estimerai heureux si elle ne m'envoie pas faire une course : le jardin est noyé sous des trombes d'eau, et ça n'a pas l'air de vouloir s'arrêter.

– Entre !

Je pénètre avec précaution sur le territoire de ma sœur. Depuis le seuil, on domine un désordre impressionnant : on dirait que Pauline a sorti toutes ses affaires du placard. Des monceaux de vêtements couvrent le plancher et le lit. Mais combien de t-shirts possède donc Pauline ? Tiens, le petit haut bleu a fini par sécher… Dommage, car il est roulé en boule, coincé entre le mur et le pied du bureau. Je vois sur le sol des piles de linge

bien repassé qui menacent de s'effondrer, des chaussures dépareillées, des bandanas, des sous-vêtements, des pulls, des chemises, deux ou trois jeans dont les jambes s'entre-mêlent. La tête me tourne à essayer de compter. Je pense aux consignes laissées par Tim : essayer de mettre la main sur un vête-ment porté par la Guêpe. Voici peut-être l'occasion que j'attendais.

Ma sœur se tient bien droite, debout entre le siège de bureau et le lit ; elle vient de se changer pour la énième fois, j'en suis sûr.

– Juju ! Qu'est-ce que tu en penses ?

Je veux bien répondre, mais à quoi ? Faut-il que je donne mon avis sur le capharnaüm qui règne autour de nous ? Je reste silencieux, par précaution, mais en prenant l'air très intéressé par tout ce qui nous entoure.

51

– Eh ! C'est moi qu'il faut regarder, idiot !

Donc, la stratégie n'était pas si mauvaise : je sais à présent ce qu'on attend de moi. Je concentre mon regard sur Pauline et je vois… Pauline, en pantalon blanc et t-shirt vert.

– Alors ?

– Bien, très bien…

Visiblement, ça ne suffit pas. Elle s'impatiente.

– Et les chaussures ?

Ah, c'est vrai, j'avais oublié ce détail. Je baisse la tête et découvre, aux pieds de Pauline, les chaussures rouges que maman portait l'autre soir.

– Bien, très bien…

Pauline me jette un pull en pleine figure. Ce ne doit pas être la bonne réponse.

– Mais qu'est-ce que tu en PENSES ?

Je panique.

– Elles sont rouges. Très rouges.

Cette fois, Pauline manque mon nez,

qu'elle visait avec sa carte de cantine. La carte atterrit derrière le bureau. Moi, j'ai intérêt à faire gaffe, très gaffe.

– Tu veux quoi ?

– Je veux, espèce de gogol, que tu me dises ce que tu en penses.

Elle ajoute :

– Regarde le jean, avec le t-shirt et les chaussures.

Ah, ça se précise. J'observe attentivement.

– Ensemble ? C'est bien ?

– Oh, oui. Enfin, je crois. (Restons prudent, car à la vérité je n'en ai aucune idée.)

– Ça ne te fait penser à rien ?

Allons bon, il lui faut encore quelque chose, à Pauline. Peut-être un compliment ? J'essaie de me rappeler ce qu'a dit papa l'autre jour, à propos de blé et de coquelicots, mais je ne suis pas certain de m'en souvenir. Le temps presse. Je fixe un regard de fou sur le jean, le t-shirt vert et les chaussures rouges.

Soudain, j'ai une idée.

– Bien sûr que si ! (Je tente de prendre une voix assurée.) Ça me rappelle… le drapeau italien !

Cette fois, Pauline ne m'a pas raté. Elle m'a balancé sa trousse à la tête, et comme je ne m'y attendais pas, je n'ai pas esquivé. Ça fait mal, une trousse pleine qui vous arrive en piqué sur le crâne. Je voudrais m'enfuir, mais la Guêpe m'a déjà sauté dessus. J'ai à peine le temps d'adopter une position de défense.

– T'es vraiment trop relou !

Je fais le gros dos, mais la Guêpe se transforme en tigresse et attaque. Elle me flanque de grands coups sur les épaules et le cou. La tête ne s'en sort pas trop mal, parce que je la protège avec mes deux bras.

– Je vais te pécho, tu vas voir !

Elle tape de plus belle. Impossible d'y échapper, elle a des bras longs comme des pattes d'araignée. Elle me souffle dans la figure :

– J'suis trop vénère !

Elle crie, elle crie, mais moi je m'en fiche : je ne comprends rien à ce qu'elle dit.

C'est la sonnerie du téléphone qui m'a sauvé. Ou plutôt : la musique qui sort du portable de Pauline. Je ne sais pas comment la Guêpe l'a entendue au milieu de ses hurlements. Elle m'a immédiatement lâché pour se jeter à plat ventre sous le lit : c'est de là que venait le bruit.

J'aurais dû en profiter pour filer, mais tous ces coups m'avaient étourdi. Je me suis assis sur le bord de la couette. Quand j'ai relevé la tête, j'ai constaté que ma sœur, toujours à plat ventre parmi les vêtements écrasés, tenait son portable à deux mains. C'est bien simple, elle m'avait complètement oublié. À l'extrémité des pattes de l'araignée, enfin, de la Guêpe, les doigts pianotaient sur les touches à toute vitesse. De ma place, j'ai vu aussi l'écran s'éclairer et un texte de quelques mots s'afficher. Moi, j'ai de bons yeux. Je savais qu'en me penchant, je pourrais lire.

En d'autres circonstances, j'aurais sûrement hésité à me montrer aussi indiscret. Mais quoi, il fallait bien mener l'enquête ! Et puis la Guêpe était tellement absorbée qu'elle ne me prêtait aucune attention. C'était une occasion inespérée : l'indice me tombait sous les yeux, pour ainsi dire, comme la trousse tout à l'heure m'était tombée sur le crâne.

J'ai donc très légèrement avancé le cou, et j'ai par mégarde laissé courir mon regard vers l'écran allumé. On pouvait y lire :

« Rv 2m1 komdab. Biz »

6

Opération de terrain

Le lundi matin, il pleuvait toujours, mais je m'en moquais. Je trépignais d'impatience en attendant Tim sur le trottoir. Quand il m'a eu rejoint, il a tout de suite compris que je détenais de nouveaux éléments. Je lui ai d'abord raconté la scène dans la chambre de la Guêpe. J'ai donné tous les détails, et j'ai même un peu exagéré la colère de Pauline, histoire de lui en mettre plein la vue. D'ailleurs, j'ai eu raison : quand on est arrivés devant le garage du père d'Adrien, Tim était suspendu à mes paroles. C'est le moment que j'ai choisi pour lui parler du téléphone portable et du SMS reçu par ma sœur.

– Et le texte alors ? Tu t'en souviens ?

– Tu penses ! Je l'ai recopié tout de suite dans le carnet, avant de l'oublier.

– Fais voir…

Je lui ai tendu le carnet. En plein milieu d'une page, j'avais écrit, en faisant bien attention à l'orthographe :

Dimanche, 17 heures 13
Texto reçu par la Guêpe.
Expéditeur inconnu.
« Rv 2m1 komdab. Biz »
Texte décodé :
RENDEZ-VOUS DEMAIN COMME D'HABITUDE. BISES.

Le sifflement qu'a fait entendre Tim en lisant ça m'a fait vraiment chaud au cœur.

Ensemble, on a couru jusqu'à l'école.

La gardienne était en train de fermer la porte quand on est arrivés.

Tim et moi avons passé la récréation de ce matin à discuter dans un coin, parce que l'enquête doit avancer. On a même renoncé à faire partie de l'équipe de foot. Tant pis : le devoir d'abord.

– Quel dommage, se lamente Tim, que tu ne connaisses pas l'identité de l'auteur du message !

Bon, faut pas exagérer. Qu'il essaie, lui, de lire en cachette les SMS reçus par Pauline, il verra si c'est si facile !

– Écoute, il est évident que la Guêpe a de nouveau rendez-vous aujourd'hui… Qui sait, elle va peut-être retourner au gymnase ? Tu crois qu'on pourrait la suivre ?

– On la suivra si elle part de chez toi. Mais imagine qu'elle aille au rendez-vous directement en sortant du collège ?

C'est bien le problème. Comment se lancer à la poursuite de quelqu'un qu'on a perdu de vue depuis huit heures du matin ? Tim et moi avons la même idée au même moment. Hugo ! Vite, on s'organise pendant la récréation de l'après-midi.

À quatre heures et demie, je passe en vitesse à la maison, et Tim poursuit son chemin. Dix minutes plus tard, me voilà prêt. J'ai laissé un mot à maman pour le cas improbable où elle rentrerait avant moi : je suis avec Tim, donc tout va bien. Au moment de repartir, j'ai les deux mains prises ; dans la droite, je tiens une part énorme de gâteau au citron (il est fantastique, ce gâteau de maman, et il en reste d'hier) ; dans la gauche, je porte avec précaution un petit sac en plastique que je maintiens à distance.

Je traverse le boulevard. Tim est déjà sur le trottoir, il m'attend, avec Hugo tenu en laisse qui jappe joyeusement à mon approche.

– Alors ? Tu l'as ? demande Tim avec inquiétude.

Je m'accroupis, pour me trouver à la hauteur d'Hugo. Je caresse sa bonne tête de bâtard un instant et je lui fourre la dernière bouchée de gâteau au citron dans la gueule. Puis j'ouvre délicatement le sac en plastique ; j'y ai enfermé, quelques minutes plus tôt, une chaussette sale de Pauline que j'ai dénichée dans la corbeille à linge de la salle de bains. Du bout des doigts je saisis la chaussette, qui me paraît répugnante.

– Pouah !

Mais Hugo n'a pas l'air incommodé. Le morceau de gâteau l'a mis de bonne humeur ; il continue de faire danser sa queue et approche son museau de la chaussette. Tim et moi observons avec un rien d'inquiétude le manège du chien : il lève la tête vers son maître puis retourne flairer la chaussette avec beaucoup de sérieux. On dirait qu'il attend un ordre précis avant de passer à l'action. Heureusement pour moi, il vient d'attraper la chaussette dans sa gueule, ce qui me permet de me relever.

– On essaie, alors ?

Tim hoche la tête deux ou trois fois et se tourne vers son chien.

– Hugo ! Cherche !

Tim a à peine le temps de s'accrocher à la laisse : Hugo s'est élancé ventre à terre. Moi, je suis comme je peux, quelques pas en arrière. C'est un vrai chien policier, Hugo. On n'a pas eu besoin de le lui dire deux fois.

Il galope dans les rues sans la moindre hésitation. Il va nous mener droit à la Guêpe, c'est sûr. D'ailleurs, il n'a toujours pas lâché la chaussette.

On s'engouffre dans les ruelles à un train d'enfer. Hugo file le nez au vent, sans laisser tomber la chaussette. Il sait où il va. En trois minutes à peine, nous avons acquis une certitude : la Guêpe n'a pas rendez-vous rue des Cerisiers. Nous tournons carrément le dos à cette direction.

J'ai commencé à avoir un doute quand on est arrivés rue Santerre. Ici, on est presque à la limite de la ville. Les dernières maisons sont derrière nous, et on aperçoit les champs de colza un peu plus loin. Tout le monde sait que la rue Santerre se termine en cul-de-sac. Mais c'est aussi un lieu isolé. N'est-ce pas le meilleur endroit pour un rendez-vous secret ?

Hugo a commencé à ralentir l'allure. J'ai rattrapé Tim, et nous nous sommes regardés : nous étions en sueur tous les deux, mais nous nous sentions proches du but.

Hugo aussi avait beaucoup couru, alors il a ouvert la gueule pour laisser pendre sa langue, et la chaussette est tombée à terre. Là, franchement, j'ai pensé à maman, qui allait chercher partout la deuxième chaussette de la paire, mais je n'ai pas eu le courage de ramasser l'espèce de boule de coton humide. Tous les trois, nous sommes parvenus au fond du cul-de-sac. Ici, il n'y a rien. Enfin, si : la déchetterie. J'ai regardé à droite et à gauche : personne. Hugo, lui, avait l'air drôlement content. Il a fait quelques va-et-vient près de la grille qui ferme l'entrée, comme s'il avait repéré quelque chose. Et puis il s'est assis et a posé son museau entre les pattes.

On est restés comme ça pendant cinq bonnes minutes. J'ai fini par rompre le silence.

– Ça pue drôlement, ici, non ? Ça m'étonnerait que la Guêpe soit dans les parages…

C'était la vérité, Tim était bien obligé d'en convenir. Pour sauver les apparences et excuser les erreurs de son chien, il a quand même ajouté :

– À mon avis, ça prouve une chose : les pieds de ta sœur ont l'odeur des ordures.

C'est long, une enquête. Il est normal que ça piétine, m'a dit Tim pour me consoler. Après la visite aux poubelles, nous sommes rentrés chacun chez soi avant que nos parents ne s'aperçoivent de notre absence.

Au fil de la semaine, on a mis au point une nouvelle stratégie. Puisque nous n'arrivons pas à pister la Guêpe, nous avons décidé de nous intéresser au suspect n° 2. C'est Tim qui s'en est chargé, parce qu'il connaît Maxime mieux que moi. L'air de rien, mardi matin, il a procédé à un interrogatoire discret. Je ne sais pas comment il s'y est pris, mais il a réussi à soutirer à Maxime des renseignements de première importance. À l'issue de cette conversation, Tim a tout noté dans son carnet.

D'abord, le suspect n° 2 s'appelle Charles. Il a dix-sept ans et fréquente le lycée Voltaire en classe de première. D'après Maxime, c'est un type sérieux qui travaille bien. En entendant tout ça, je ne me suis pas vraiment senti rassuré : s'il est si sérieux que ça, pourquoi traîne-t-il avec ma sœur ? La Guêpe est dangereuse, c'est vrai, mais qui le sait à part moi ? Et puis, je dois en convenir, elle est plutôt jolie, Pauline. Enfin, les jours où elle ne fait pas la tête et ne torture pas les boutons qui sortent de temps à autre sur son front.

Tim n'a pas voulu interroger Maxime trop longtemps, pour ne pas attirer son attention. Mais on connaît maintenant l'endroit où Charles passe ses journées. Nous avons donc monté une nouvelle expédition mercredi matin.

La pluie de ces derniers jours s'est arrêtée, et il fait enfin beau temps. Tim et moi sommes en planque presque en face de la sortie principale du lycée. Nous avons mis au point notre camouflage, pour le cas peu probable où nous serions reconnus. Je tiens un ballon de foot à la main, et nous avons tous les deux revêtu nos maillots.

Tout en faisant semblant de discuter, nous ne perdons pas de vue un seul instant la grande porte du lycée. Nous avons entendu la sonnerie ; cinq minutes plus tard, un premier groupe d'élèves est sorti. Je me demande comment on va reconnaître notre suspect. Tous les lycéens, filles et garçons, sont habillés pareil : en jean, avec des baskets aux pieds et un blouson gris foncé ou noir au-dessus. Un véritable uniforme. Les lycéens sortent en se poussant les uns les autres, puis stationnent sur le trottoir. Ça va pas être facile.

Soudain, Tim m'envoie un gros coup de coude dans les côtes qui me fait presque lâcher le ballon. Il se penche et murmure :

– C'est lui.

Voilà donc le fameux cousin ! Je le reconnais maintenant. Ma première pensée est très simple : je le trouve moche. J'aime pas ses cheveux trop longs qui pendouillent dans son cou, ni son sac à dos, ni surtout sa boucle d'oreille. Non, vraiment, il n'est pas beau. Même la Guêpe a bien dû s'en rendre compte.

– T'es prêt ? On le suit ?

Ah, mais ça n'était pas prévu au programme, ça ! On avait parlé de planque, pas de filature !

– Mais... Et l'entraînement ? On risque d'être en retard !

Tim ne prend pas le temps de me répondre. Il m'attrape par le coude et m'oblige à traverser. Charles fait un grand signe de la main à un autre garçon et embrasse deux filles qui s'en vont de leur côté. Puis il attrape son sac et se dirige vers l'avenue. Nous lui emboîtons le pas. Je suis inquiet. Est-ce que Charles peut s'apercevoir qu'il est filé ? Sûrement, parce que notre technique manque de professionnalisme. Une filature, ça ne s'improvise pas. Pour donner le change, je joue à la poussette avec mon ballon.

Charles a traversé la grande avenue et pris une allée tranquille. Il marche drôlement vite avec ses grandes jambes ! J'ai un peu de mal à suivre. Au bout de l'allée, il ralentit et sort quelque chose de son sac, ça doit être sa clef. Gagné ! Le voilà qui ouvre une petite porte. Tim et moi continuons à marcher comme si de rien n'était. En passant à la hauteur de la porte, je glisse un coup d'œil ; je vois une petite maison sans rien de spécial et un jardinet tout ce qu'il y a de courant dans notre ville. Je note mentalement l'adresse, que je recopierai tout à l'heure dans le carnet : 17, allée des Pierres-Grises. J'ai beau regarder partout, je ne trouve pas la moindre pierre grise à l'horizon. Faut-il considérer ça aussi comme suspect ?

7

Haute voltige

Le lundi suivant, Tim et moi en étions au même point. L'affaire « La Guêpe » traînait en longueur, et je commençais à me faire du souci. Pas à me lasser, non : j'avais vraiment envie de surprendre les secrets de Pauline, et surtout de savoir ce qu'elle complotait avec Charles. Si je découvrais qu'elle était amoureuse de lui, ma décision était prise : je l'en empêcherais. Pas question que ma sœur fréquente un type de quatre ans son aîné, et même pas beau, en plus.

Après l'école, j'ai retrouvé Tim, une fois de plus. Hugo était avec lui. Nous avions réfléchi : si la Guêpe allait régulièrement rue des Cerisiers le lundi soir, elle y serait peut-être aujourd'hui. Nous nous accrochions à cette éventualité.

C'est loin, la rue des Cerisiers. Heureusement, Tim connaît le chemin, grâce aux innombrables compétitions de judo de son frère. Nous avons marché un bon quart d'heure sans dire grand-chose. Inconsciemment, nous savions que cette tentative était la dernière : si nous ne parvenions pas à découvrir quoi que ce soit ce soir, il nous faudrait laisser tomber. L'affaire « La Guêpe » serait classée sans suite. Quelle triste perspective ! Un échec que Tim, plus encore que moi, aurait bien du mal à supporter.

Dans la rue du gymnase, les maisons sont plutôt chic, avec des grilles et des murs qui dissimulent les jardins. On a trouvé un petit muret, et on s'est installés là avec Hugo, en faisant semblant de discuter comme deux écoliers qui font une pause en baladant leur chien. En réalité, on observait tout. Comme le beau temps se maintient et que les jours s'allongent, il y a encore pas mal de soleil à cette heure-ci. Ce petit détail nous a permis, à Tim et à moi, de nous équiper de lunettes noires. Avec ça, nous nous parlons face à face, mais en réalité nous décrivons de grands cercles avec nos yeux. Du coup, on voit tout, on regarde partout, mais sans attirer l'attention. Enfin, j'espère.

À cinq heures dix, j'ai repéré Charles, qui arrivait en survêtement. Je l'ai reconnu tout de suite, peut-être parce que le soleil a fait briller l'affreuse boucle qu'il porte à l'oreille. J'ai soufflé à Tim :

– Suspect numéro deux localisé à six heures.

En clair, ça signifie que j'ai repéré Charles. À six heures, ça veut dire « face à moi ». J'ai entendu ça dans les séries policières à la télé. J'ai vu Tim sursauter.

– Surtout ne te retourne pas ! Il va passer devant nous. Parle d'autre chose.

Il avait l'air pressé, Charles, il avançait avec des pas immenses, comme l'autre jour. C'est vrai qu'il est grand, au moins un mètre quatre-vingts. J'espère qu'on n'aura pas l'occasion de le courser, on est sûrs de le perdre. Il a traversé la chaussée tout près de nous sans nous accorder le moindre regard. Quelques secondes plus tard, il a pénétré dans le gymnase.

Très excité, Tim s'est levé d'un bond.

– Alors ? J'avais pas raison ? Ils ont rendez-vous, je te dis ! Tous les lundis ! Ici !

Notre hypothèse était vérifiée, c'est vrai, mais ça ne me faisait pas franchement plaisir. Et puis, on n'avait pas vu entrer la Guêpe.

– Pas de conclusion hâtive, ai-je dit d'un ton docte.

C'est vrai, quoi ! Inutile d'accuser sans vérifier d'abord. Si j'avais été seul, je serais sûrement rentré chez moi : je n'aurais jamais eu le courage d'en faire plus. Mais Tim est drôlement têtu, et puis, c'est pas sa sœur, Pauline. Il s'en fiche de savoir ce qu'elle fait. Moi, j'ai peur de ce que je vais découvrir.

On a cherché d'abord un endroit où laisser Hugo, parce qu'il n'a pas le droit d'entrer avec nous. Finalement, on a bouclé sa laisse à une borne à vélo, et on lui a dit de se tenir bien sage en nous attendant. Il est intelligent, Hugo : il a posé sa tête entre ses pattes et a décidé de faire un petit somme.

Nous avons pénétré dans le bâtiment. Il y avait un garçon de notre âge devant nous, on l'a suivi à tout hasard. Ah, et puis on a retiré nos lunettes de soleil, parce qu'avec elles on n'y voyait rien. Le garçon devant nous est monté au premier étage et est entré dans une pièce qui de toute évidence sert de vestiaire. Nous, on a continué. Plus loin, il y a de grandes salles vitrées, comme à l'école. Devant l'une d'elles, il y avait une espèce d'attroupement de mamans qui regardaient par la vitre ; en passant, nous aussi on a jeté un coup d'œil, et on a vu que c'était un cours de danse pour toutes petites filles.

– Les dojos sont au-dessus, mais le prof garde toujours la porte fermée pendant les cours, m'a expliqué Tim.

Les dojos ? Ah oui, les salles de judo. Je ne sais pas pourquoi, mais je n'imaginais pas Charles en judoka. Trop grand. Trop maigre. Et puis la boucle d'oreille… Ça doit gêner, non ?

Comme on ne savait pas comment poursuivre notre investigation, on a fait une pause sur le palier. La cage d'escalier est éclairée, à chaque étage, par de grandes fenêtres qui donnent sur les terrains. Un terrain de foot,

deux courts de tennis et, sur le côté, un mur d'escalade que la municipalité a inauguré il y a trois ans. J'ai regardé par là, machinalement, et je me suis figé.

Le mur d'escalade est une espèce de paroi de béton lisse dans laquelle on a planté, çà et là, de petits crochets de ferraille. Parfois aussi il y a une encoche dans le mur, mais pas souvent. C'est haut. Très haut, même : le sommet dépasse largement le premier étage du gymnase.

En ce moment, il y a un petit groupe, en bas, qui a l'air de patienter. Tous, même celui qui visiblement est leur prof, ont la tête levée. Ils observent, au sommet, un type en équilibre avec une corde autour de la taille. La corde descend le long du mur. Elle est reliée à un autre personnage, une fille, qui est en train de monter sur une arête très pointue. Elle se tient par les mains à deux crochets assez éloignés, et ses pieds reposent sur une petite encoche de rien du tout. On dirait une crucifiée. Elle a l'air suspendue au-dessus du vide. Heureusement qu'il y a la corde. Moi, ça me file le vertige, de la voir comme ça.

Et puis tout à coup, j'éprouve comme un malaise. Ma vision se brouille et j'ai mal au cœur.

Je suis obligé de m'asseoir, parce que je me sens vaciller.

Le mec en équilibre au sommet du mur, c'est Charles. Et la fille suspendue au-dessus du vide, c'est Pauline.

Timothée a eu peur. Il s'est penché vers moi, affolé, et a tendu la main pour me relever. Tout de suite, il a voulu m'entraîner vers la sortie, mais j'ai résisté. Je voulais voir ça, même si ça m'effrayait terriblement.

On est restés collés au carreau pendant plusieurs minutes. D'ici, on n'entend pas ce qui se dit dehors. On a donc regardé un film d'épouvante muet. Pauline ne bougeait plus du tout. Elle restait agrippée à la paroi, totalement paralysée, et j'étais sûr qu'elle aussi avait peur. De haut, Charles faisait des gestes d'encouragement. Je l'ai vu assurer la corde et allonger le bras en montrant quelque chose. Pauline n'a pas fait un mouvement.

J'ai attendu, fasciné, persuadé qu'elle allait lâcher prise.

Comment Pauline pouvait-elle être ici ? Je suis certain que nos parents ignorent tout de ces leçons d'escalade. Depuis quand fréquente-t-elle Charles ? Est-ce qu'elle s'est lancée dans ce sport parce qu'il l'y a entraînée ? Est-ce qu'elle s'est découvert une passion pour l'altitude parce qu'elle est amoureuse ? Ça tourne dans mon cerveau. Jusqu'ici, je croyais avoir peur de la Guêpe. Maintenant, je le sais, j'ai peur pour Pauline.

Ça y est, elle se décide à faire un pas. Terrorisé, je la vois décoller lentement son pied droit de l'appui et chercher, du bout de sa chaussure, une encoignure dans la paroi, plus haut, plus à droite. Elle semble écartelée. Son équilibre reste fragile, je crains qu'elle ne lâche tout, brusquement. Si elle tombe, est-ce qu'elle entraîne Charles avec elle ? Je veux me rassurer : sûrement pas, il y a un adulte avec eux. Je me dis que ça doit être prévu. Maintenant, Pauline a trouvé une nouvelle encoche. Au moment de se hisser, elle secoue la tête, comme pour dire : « Je n'y arriverai pas. »

Je ne supporte pas d'en voir davantage.

– Allons-y, dis-je à Tim.

Il ne discute pas, il me suit.

Sur le trottoir, près des vélos, Hugo nous a entendus arriver. Il s'ébroue avec une joie évidente. Moi, je me sens vidé. Peut-être qu'à la minute même, Pauline est à terre, explosée sur le sol. Je ne reverrai jamais ma sœur. J'essaie de me raisonner : c'est idiot d'avoir des idées de ce genre. Je jette un coup d'œil à ma montre : six heures et quart ! Il est temps de filer, sinon les parents seront arrivés avant moi.

On a fait le chemin en sens inverse, sans un mot. Je me suis rendu compte que j'avais perdu mes lunettes de soleil. Je m'en fiche.

Je veux Pauline. Au coin du boulevard, Timothée m'a serré le bras affectueusement. Il m'a juste lâché :

– Ça va aller.

Et puis il a tourné le dos avec Hugo, et j'ai continué tout seul jusque chez moi.

Je suis arrivé à la maison une minute avant maman. Un instant, j'ai hésité à tout lui dire : Pauline et Charles, la filature, la planque, le mur d'escalade. Un scrupule m'a arrêté : et si Pauline s'était écrasée par terre, si elle était déjà morte ? Est-ce qu'on trahit un mort ?

Une heure plus tard, j'ai entendu Pauline rentrer à son tour. Je la guettais.

Cette fois, je n'y tiens plus. Je frappe à la porte de la Guêpe. Il est temps qu'on me dise ce qui se passe.

– Pauline ?

Ma sœur lève le nez et me découvre dans l'entrebâillement de sa porte. Je vais me faire hacher menu par la Guêpe, peut-être, mais j'ai besoin de savoir. Elle lève les sourcils :

– Tu veux quoi, encore ?

Le « encore » est de trop, parce qu'à ma connaissance je ne suis pas venu dans sa chambre depuis qu'elle m'est tombée dessus, le jour du SMS.

– Pauline, s'il te plaît, je voudrais te parler.

Et j'ajoute, avec un air de conspirateur :

– C'est grave.

Elle soupire, genre « je suis débordée mais je vais faire un geste malgré tout », et j'en profite pour pénétrer dans sa pièce. C'est presque aussi encombré que la dernière fois, ici, mais ça m'est parfaitement égal. Je suis tellement content de savoir la Guêpe bien vivante que je suis prêt à tout lui pardonner, son désordre, ses coups et ses méchancetés.

– Pauline… Je t'ai vue, tout à l'heure, sur le mur. Le mur d'escalade. Au gymnase. Rue des Cerisiers.

Bon, la phrase est entrecoupée, et je la débite avec anxiété, je le reconnais. Mais ça porte. Pauline ouvre des yeux comme des soucoupes.

– Tu m'espionnes maintenant ?

Elle ne peut pas cacher sa stupéfaction, ma sœur.

– Oui… Enfin, non ! C'est pas du tout ça !

Je cherche une explication vite fait.

– Tim et moi on est allés au gymnase voir son frère. Tu sais, celui qui fait du judo. C'est là que je t'ai vue sur le mur.

Elle ne répond pas.

– Tu veux pas m'expliquer ?

Pauline se tourne vers moi. Ses yeux, qui sont naturellement bruns avec des reflets dorés, se mettent à lancer des éclairs, comme dans les dessins animés.

– Espèce de petit fouineur ! Je n'ai rien à te dire, c'est un secret ! Tu dis un mot aux parents, un seul et je… je t'arrache la tête !

Cette fois-ci, elle a parlé en bon français. Pas de problème, j'ai compris.

Je suis sorti en vitesse, en me tenant le cou à deux mains.

8

Complément d'enquête

C'est décidé. Je n'irai plus rue des Cerisiers. Inutile de me faire du mal à regarder ma sœur prendre des risques insensés pour un mec plutôt moche. Ce qui m'épate, c'est l'apparente insouciance de mes parents. Maman n'a pas eu l'air étonnée de voir rentrer Pauline si tard plusieurs lundis de suite. Je me demande ce que la Guêpe a bien pu lui raconter. Un mensonge, c'est sûr.

Timothée a proposé de poursuivre l'enquête sur notre suspect n° 2. Après tout, si nous n'obtenons pas de résultat avec la Guêpe, nous devons essayer de nouvelles pistes. J'ai dit oui, du bout des lèvres. Je sais ce qui m'inquiète : croiser Charles et Pauline ensemble.

Trois semaines après le début de nos investigations, nous avons acquis quelques certitudes : Charles ne pratique pas l'école buissonnière et ne traîne pas en ville ; nous ne l'avons jamais rencontré dans la rue avec Pauline, mais nous savons qu'il la retrouve au gymnase tous les lundis à la même heure ; ensemble ils s'entraînent sur le mur d'esca-lade, ils se séparent après la séance et ren-trent chacun chez soi. De tout cela nous sommes certains, mais nous ne connaissons toujours pas les raisons qui expliquent le comportement de Pauline, ni ses cachotte-ries. Le mobile, comme dit Tim.

Pour le découvrir, ce fameux mobile, il nous fallait un petit coup de pouce du hasard. Tous les détectives de la terre vous le diront : c'est souvent grâce à un détail insignifiant ou une coïncidence due au hasard que sont dévoilés les mystères les plus opaques. Pour nous, la chance a tourné jeudi après-midi. Après l'école, sur le chemin du retour, nous avons vu Maxime sur le trottoir juste devant nous, tenant dans la main un gros paquet de prospectus ou d'affichettes : à cette distance, nous ne savions pas encore de quoi il s'agissait. Nous l'avons rattrapé au moment où il s'apprêtait à entrer dans l'épicerie voisine.

– Tu fais quoi ? a demandé Tim.

– Je colle des affiches. Enfin, je demande la permission avant, s'est-il empressé d'ajouter.

– Montre.

Maxime ne s'est pas fait prier. Il a posé son sac à terre et nous a tendu une affichette. Un truc bricolé à l'ordinateur, qui indiquait la date d'une fête organisée par une association

dont le nom s'inscrivait en gros caractères à l'encre verte : « Future Nature ».

– C'est quoi, Future Nature ?

– Je les connais, ils sont sympas. C'est un groupe de jeunes qui a fondé ça. Ils informent les gens sur le tri des déchets, ils nettoient les bois, des trucs comme ça.

– Mais pourquoi tu distribues leurs tracts ?

– C'est pas des tracts ! Juste une feuille d'information pour la prochaine journée de nettoyage.

– Mais pourquoi toi ? ai-je insisté.

– C'est mon cousin Charles qui me l'a demandé. Il fait partie de Future Nature depuis l'année dernière.

Maxime nous a expliqué : il devait distribuer ces papiers à tous les commerçants de la rue qui acceptaient de les coller sur la vitrine de leur boutique. Il voulait continuer, parce qu'il lui en restait des dizaines à donner avant la fin de la semaine.

On lui en a pris quelques-uns, en promettant de les donner à nos parents, et on a filé chez moi.

Tim avait eu la même idée que moi : on tenait peut-être là le début de la solution du mystère. Et si Pauline appartenait elle aussi à l'association ? Que disait exactement cette

fameuse feuille d'information que distribuait Maxime ?

Nous nous sommes dépêchés de sortir une affichette pour la lire tranquillement. Elle indiquait que la journée de nettoyage du 3 avril – c'est le dernier dimanche avant les vacances de Pâques – serait organisée par Future Nature dans le bois des Colombes. On pouvait y lire le programme détaillé de la journée, et aussi cette étrange information : à seize heures trente serait organisé un grand spectacle dans le bois lui-même. Les sommes éventuellement recueillies pour assister à cette manifestation seraient reversées à l'association qui désirait acheter des composteurs de déchets.

Tim et moi nous sommes regardés. La même question nous venait immédiatement à l'esprit : quel genre de spectacle peut-on organiser dans le bois des Colombes ?

9

Rendez-vous au bois

Le 3 avril est arrivé à toute vitesse. Pendant la semaine précédente, j'ai dû plaider ma cause presque tous les jours pour obtenir d'aller participer à la collecte des déchets dans le bois des Colombes. Au début, mes parents ont dit non : papa voulait repeindre la porte de la cuisine, et maman préférait attendre que le printemps soit vraiment là pour aller pique-niquer dans les bois. Heureusement, Tim a réussi à les décider ; toute sa famille serait là, ses frères et ses parents, et

même son chien, a-t-il expliqué pour convaincre maman – qui finalement a dit d'accord en riant.

Pendant tout ce temps, la Guêpe est restée étonnamment silencieuse. J'aurais presque fini par l'oublier, si je n'avais pas su que cette journée organisée par l'association Future Nature devait me donner l'occasion d'espionner, une fois de plus, ma sœur et ses mystères.

Maman a demandé :

– Pauline, tu comptes venir aussi ?

J'ai alors vu la Guêpe rougir et bredouiller. Je suis resté sidéré : je crois que c'est la première fois depuis l'été dernier que Pauline ne répond pas à maman sur un ton excédé. Elle a bafouillé :

– Ben oui, je crois…

C'est sûr, ça a fait drôlement plaisir aux parents. Ils y ont vu un signe de bonne volonté. Moi, je ne savais plus quoi penser.

Les parents de Tim avaient donné rendez-vous aux miens. On s'est tous retrouvés, avec un bon quart d'heure d'avance, au carrefour du bois. Le père de Tim, l'inspecteur de police, n'était pas en service, mais il a aidé à organiser la distribution des gants. Finalement, il y avait pas mal de monde : beaucoup de familles, beaucoup de jeunes aussi. J'ai vu Maxime de loin, mais je n'ai pas été lui dire bonjour ; j'avais peur que Charles ne soit avec lui et ne me reconnaisse. J'aurais eu du mal à expliquer pourquoi il m'avait vu alternativement rue des Cerisiers et allée des Pierres-Grises…

À dix heures et demie, tout était prêt. J'étais de bonne humeur : d'abord parce que je préfère me balader dans les bois, même avec un sac-poubelle à la main, que rester à la maison à supporter les sautes d'humeur de la Guêpe ; ensuite parce que j'avais décidé de mettre à profit cette journée exceptionnelle pour essayer d'approcher Charles « par hasard ». Je ne savais pas encore comment, mais j'avais tout le temps pour trouver une idée.

On a fait une grande équipe avec les deux familles, celle de Tim et la mienne. Pauline s'est retrouvée aux côtés du frère aîné, le judoka ; papa a discuté avec l'inspecteur et je suis resté à l'avant avec Tim. Nous étions tous les deux chargés de repérer les déchets à ramasser. Honnêtement, c'est pas difficile, il suffit de se pencher. On découvre des canettes de bière et des paquets de cigarettes vides, des sacs plastiques accrochés aux branches, des vêtements perdus, une paire de lunettes de soleil cassées (tiens, ça me rappelle les miennes, je me demande si ça pourrait être elles ?), des piles usagées (ça, c'est dangereux, en plus !), un MP3 tout écrasé et j'en passe. En moins de deux heures, je n'avais rien appris sur Charles et la Guêpe, mais j'avais acquis une certitude : les gens jettent n'importe quoi n'importe où ! Et s'il y a des associations comme Future Nature pour les inciter à faire plus attention, il faut les soutenir. Charles est immédiatement monté d'un cran dans mon estime.

Vers une heure de l'après-midi, on a fait un grand pique-nique en partageant tout ce qu'on avait apporté. C'était vraiment une super journée. Sauf que la Guêpe s'est mise à être bizarre. Elle n'a rien mangé en disant qu'elle avait mal au ventre : c'est possible, parce que je l'ai trouvée toute pâle. Ensuite, elle n'a plus rien dit, sauf au frère de Tim qui a réussi à la faire rire une ou deux fois.

Après le déjeuner, papa a dit qu'il aimerait bien dormir un peu pour digérer, mais on s'est tous moqués de lui, alors il a suivi la troupe et on a poursuivi notre ramassage. On avait déjà rempli trois sacs dans la matinée, mais là on est tombés sur un gros truc planqué derrière une souche : un réfrigérateur à

demi démonté dont il restait tout l'arrière et quelques clayettes, mais sans la porte. Le père de Tim a dit :

– On ne prendra pas ça dans un sac-poubelle. Il vaudrait peut-être mieux prévenir les organisateurs.

– J'y vais ! s'est écriée Pauline.

Maman n'a pas pu dissimuler sa surprise : c'était la première fois depuis des semaines que Pauline proposait de rendre un service.

– Pas si vite ! a dit en riant le père de Tim. Tu sais à qui t'adresser ?

– Oui, oui, ne vous en faites pas, je vous envoie quelqu'un tout de suite.

La Guêpe a détalé comme un lapin. J'ai regardé papa, qui paraissait aussi perplexe que moi. Une idée gênante m'est venue : elle avait peut-être rendez-vous avec Charles.

– De toute façon, a dit maman en regardant sa montre, il est bientôt l'heure de retourner au point de ralliement.

Au carrefour, toutes les équipes sont arrivées les unes après les autres. On a jeté les déchets dans la benne ; la semaine prochaine, les bénévoles de Future Nature vont les trier et les porter à la déchetterie. Cela m'a rappelé notre expédition rue Santerre : si Pauline travaille avec Future Nature, elle était peut-être à la déchetterie, ce jour-là. Si c'est le cas, Hugo est le plus fin limier de la création, et Tim et moi ne sommes que des idiots.

– Où est passée Pauline ? s'est inquiétée maman en regardant autour d'elle.

C'est vrai que ma sœur n'était visible nulle part. J'ai passé les petits groupes en revue un par un, mais pas de Pauline. La Guêpe s'était envolée. Au même moment, un monsieur est venu vers nous :

– Bonjour, vous êtes les parents de Pauline, n'est-ce pas ? Je n'ai pas trouvé trace de votre autorisation… Enfin, puisque vous êtes là, tout va bien.

Il est reparti aussi sec, sans laisser le temps à papa et maman de poser la moindre question. On aurait commencé à se faire du souci si, à ce moment-là, nous n'avions entendu une annonce faite avec un porte-voix :

– Mesdames et messieurs, tout d'abord merci à tous ceux qui ont participé à cette séance de nettoyage. Comme vous avez dû vous en rendre compte, notre bois des Colombes a bien besoin de vos services ! Mais il est maintenant seize heures trente, l'heure du spectacle que nous vous avons promis. Ceux qui veulent y assister doivent emprunter l'allée Blanche jusqu'à l'ancienne carrière. Nous vous rappelons que cette manifestation est gratuite et ouverte à tous. Cependant, si le spectacle vous a plu, vous pourrez récompenser les participants en faisant un don à Future Nature.

Maman ne voulait pas y aller : elle préférait attendre Pauline. Mais l'un des organisateurs de Future Nature l'a rassurée : Pauline était déjà à la carrière. Ça a tout de suite calmé mes parents. Pas moi. Je commençais à comprendre.

Nous avons suivi l'allée Blanche sur trois ou quatre cents mètres, jusqu'à la grande clairière qui s'étale au pied des anciennes carrières. L'allée doit son nom aux bouleaux à l'écorce claire qui la bordent de chaque côté. Une fois arrivés à la clairière, nous nous sommes assis dans l'herbe avec les autres ;

même Hugo, qui n'avait pas cessé de courir depuis le matin, a accepté de s'allonger près de nous. Comme nous étions nombreux, nous nous sommes tous installés en demi-cercle, face aux falaises de calcaire qui ferment l'un des côtés de l'espace. Ce sont de vraies murailles, toutes blanches, et hautes comme un immeuble de trois étages. On a regardé partout pour essayer d'apercevoir des décors pour un spectacle, mais il n'y avait rien, sinon les parois verticales de roche claire.

– Mesdames et messieurs, a repris la voix anonyme dans le mégaphone, des jeunes de notre commune vous ont préparé une surprise ; ils ont beaucoup travaillé, ces dernières semaines, pour vous offrir un spectacle d'escalade. Vous devez admirer leur courage : beaucoup d'entre eux n'avaient jamais pratiqué ce sport il y a encore trois mois... Mais ils ont persévéré et, grâce aux conseils de quelques sportifs expérimentés, ils sont aujourd'hui capables d'exploits à couper le souffle !

Couper le souffle... Moi, c'est bien simple, j'avais beau avoir la bouche ouverte, je manquais sérieusement d'air.

10

Fin de partie

Sept ou huit jeunes sont sortis du couvert des arbres. Tous étaient équipés de vêtements de sport et de chaussures spéciales. L'un d'eux portait des cordes. Un adulte les accompagnait : j'ai reconnu le professeur de la rue des Cerisiers. Mon cœur a eu quelques ratés.

Au milieu du groupe, Charles était en train de vérifier les mousquetons de son harnais. Il a enroulé la corde autour de lui et s'est présenté face au centre de la clairière.

Il a salué les spectateurs d'un petit geste de la main, et tout le monde a applaudi poliment. Le professeur a avancé jusqu'à lui et lui a glissé quelques mots à l'oreille.

Et puis Charles s'est approché de la paroi. Comme j'étais loin, je ne voyais pas tout : il devait planter des appuis dans le mur de craie. Il avait l'air très calme, il montait lentement, étape par étape, sans hésiter, en prenant son temps. Il vérifiait tout au fur et à mesure. En quelques minutes, il s'est hissé sur la première plate-forme qui surplombe l'escarpement, et il s'est tourné vers la foule des spectateurs qui, cette fois, a applaudi avec enthousiasme. C'est vrai que c'était magnifique, de voir Charles grimper comme ça jusqu'en haut. Moi, ça m'a plu. Ça m'a fait peur, aussi.

Charles a lancé une des extrémités de sa corde vers le bas, et un des jeunes, un garçon d'une quinzaine d'années que je n'avais jamais vu, est venu la fixer à son propre équipement. Le prof a tout vérifié lui aussi. Lentement, très lentement, avec beaucoup plus d'hésitation, le garçon est monté rejoindre Charles. Papa, très impressionné, a pris quelques photos. Il avait l'air de trouver ça formidable. Tim et moi, nous ne disions rien.

Un autre garçon s'est présenté en bas, puis une fille. Tous se sont harnachés de la même façon. Tous ont fini par atteindre la plate-forme. La foule était ravie.

Et puis l'instant que je redoutais a bien fini par arriver. J'ai entendu les mots qui sortaient du porte-voix : « Et maintenant une toute jeune fille… », mais je ne voulais pas entendre. J'ai vu Pauline, en vêtement ajusté et chaussons d'escalade, se saisir de la corde, mais je ne voulais pas voir. J'ai entendu, sur ma droite, le petit cri affolé de maman. Le sourire a disparu du visage de papa, et le frère de Tim a juste lâché : « Oh ! »

J'aurais voulu fermer les yeux, mais je n'ai pas réussi. C'était comme si on m'obligeait à garder les paupières ouvertes. Maman s'est recroquevillée en me serrant contre elle. Papa a levé son appareil photo pour filmer, mais son bras tremblait trop, il a dû renoncer. Mes oreilles bourdonnaient. J'ai regardé Pauline s'agripper au rocher, et Charles, si loin au-dessus d'elle, en train d'assurer la corde. L'ascension m'a paru interminable. Finalement je me suis caché les yeux.

Ce sont les applaudissements qui m'ont obligé à les rouvrir. Maman pleurait maintenant, sans doute de soulagement. Pauline venait de prendre pied sur le rebord de la falaise.

– Elle l'a fait ! Elle l'a fait ! s'est mis à crier Tim en sautant sur ses pieds, aussitôt suivi par Hugo dont la queue se balançait à toute vitesse.

Le frère de Tim est venu me mettre une grosse claque dans le dos :

– Dis donc, elle est sacrément courageuse, ta sœur ! Ça fait longtemps qu'elle a commencé l'escalade ?

Je n'ai pas répondu. Qu'est-ce que je connais de la vie de Pauline, maintenant qu'elle est grande ? Moi, je suis trop petit. Trop petit pour tout, elle a raison. Mais une chose est sûre, au moins : Guêpe ou pas, c'est ma sœur, et je suis drôlement fier d'elle.

– Ah, voilà nos alpinistes !

Tous les jeunes qui venaient d'escalader la falaise redescendaient à présent par le sentier qui fait le tour de la carrière. Les gens se sont levés pour les accueillir et les féliciter. Près de nous, Hugo, sensible à toute cette agitation, aboyait pour manifester sa joie. Papa s'est littéralement jeté sur Pauline en criant :

– T'aurais pu nous prévenir, tout de même !

J'ai cru un instant qu'il allait la gronder, mais non. Tout le monde posait des questions en même temps : combien de temps avait duré l'entraînement ? Est-ce que c'était difficile ? Pourquoi Pauline n'avait-elle rien dit ? Je me tenais un peu à l'écart. Je ne savais pas quoi dire.

Tim est venu me trouver :

– Dis donc, j'ai l'impression que ta sœur n'a pas fini de fréquenter le gymnase de la rue des Cerisiers… Sauf que cette fois, elle sera dans les dojos !

En effet. Pauline s'était rapprochée du frère de Tim, qui la félicitait avec enthousiasme. Il était tombé amoureux de cette nouvelle Pauline tout de suite, ça se voyait ; il était tout rouge en lui parlant, il agitait ses mains et puis il s'est penché pour l'embrasser, et je crois bien que c'était près de la bouche. Tim et moi, on a préféré regarder ailleurs. Mais je me suis dit que le frère de Tim avait bien raison : Pauline est une fille extraordinaire.

Papa est allé donner un chèque pour l'association, et le père de Tim l'a suivi. Puis les gens ont commencé à faire demi-tour et l'agitation s'est calmée. C'est le moment que j'ai choisi pour m'approcher de Pauline, enfin. Quand je me suis trouvé tout près d'elle, je lui ai demandé, en prenant un air faussement inquiet :

– Tu ne vas pas m'arracher la tête, dis ? Je n'ai pas trahi...

Au lieu de se retourner avec mépris, comme je m'y attendais, elle s'est penchée pour me prendre dans ses bras.

– Si tu savais comme j'avais peur, mon Juju... Mais j'ai pensé que tu me regardais, alors ça m'a donné des forces !

Une seconde, je suis redevenu son Juju, et j'ai presque eu envie de pleurer. Mais je me suis retenu, parce que je ne suis pas si petit que ça. Et puis Hugo n'arrêtait pas de japper et de nous tourner autour, nous empêchant de nous laisser aller à nos émotions. Finalement, Pauline m'a lâché et s'est tournée vers Tim :

– Dis, c'est normal que ton chien ait l'air si intéressé par mes chaussettes ?

Table

Du même auteur dans la collection...

POURQUOI J'AI PAS LES YEUX BLEUS ?

Maya est très jolie avec sa peau mate et ses yeux noirs. Comment expliquer aux autres que, si elle ne ressemble pas à sa maman, c'est parce qu'elle vient de Colombie ?

Illustrateur : Jean-François MARTIN

CHÈRE THÉO

Léa, neuf ans, découvre la nouvelle amie de son papa, une femme exubérante et rêveuse, qui va la mener jusqu'aux îles grecques.

Illustrateur : Marc BOUTAVANT

JE HAIS LA COMTESSE

Cette maman-là est obsédée par la comtesse... de Ségur, au point d'imiter ses héroïnes dans la vie et d'éduquer sa progéniture selon ses préceptes. Mais les "enfants modèles" se révoltent !

Illustrateur : Thomas BAAS

Achevé d'imprimer
en novembre 2008
par l'Imprimerie Floch à Mayenne
pour le compte des éditions
ACTES SUD
Le Méjan
Place Nina-Berberova
13200 Arles.